RECETAS RICAS Y SALUDABLES

DIABÉTICOS CELÍACOS

cocina sana

Dra. Romin

Dra Romin

Cocina sana para diabéticos y celíacos. - 1a ed. - Buenos Aires : Dos Tintas , 2007.

96 p. ; 20x14 cm.

ISBN 978-987-610-096-0

1. Libros de Cocina. 2. Cocina para Diabéticos. 3. Cocina para Celíacos. I. Título

CDD 641.563 14

ISBN: 978-987-610-096-0

Balcarce 711 - Ciudad Autónoma de Buenos Aires, República Argentina
info@doseditores.com

Hecho el depósito que marca la Ley 11.723

Impreso en la Argentina
Mariano Mas SA
Perú 555 - Ciudad Autónoma de Buenos Aires, República Argentina
Agosto de 2007

Este libro es informativo. No debe ser considerado un tratamiento.
Ante cualquier duda consulte a su médico.

ÍNDICE

INTRODUCCIÓN

La enfermedad celíaca y la diabetes son dos males que afectan a una gran parte de la sociedad. En muchos casos los enfermos no llegan a saber que las padecen hasta que las mismas les provocan un daño crónico o muy difícil de controlar.

Sin embargo, si son detectadas a tiempo, las personas pueden convivir perfectamente con estas enfermedades. En la actualidad la ciencia médica ha avanzado en los métodos para descubrirlas con anticipación y para minimizar y hasta controlar totalmente, sus síntomas y complicaciones.

Básicamente, quienes padecen diabetes o celiaquismo, deben entender la importancia del control médico frecuente y de que es la única manera de sobrellevar la enfermedad como una forma de vida: por supuesto que estos pacientes tendrán algunas limitaciones de por vida, pero, al mismo tiempo, con educación, constancia y responsabilidad, podrán armonizar sus costumbres y desenvolverse de manera placentera.

Estas personas deberán centrar sus hábitos en varios pilares: chequeo médico frecuente, alimentación, ejercicios físicos, responsabilidad y colaboración de sus familiares y amigos.

En ambos casos, de estos puntos mencionados, la vida de los celíacos y de los diabéticos depende en gran medida de la alimentación: los ingredientes que se usan en la elaboración de la comida, los productos que se incorporan a la dieta, los platos que abundan en el regimen habitual, etcétera son temas centrales para que estas enfermedades no causen daños mayores.

Este libro presenta un completo recetario para elaborar sanos y ricos platos para diabéticos y celíacos, con los alimentos más apropiados para sobrellevar las afecciones. Además, con un lenguaje sencillo y comprensible, se presenta toda la información necesaria acerca de ambas enfermedades, como así también una guía de consejos y ejercicios prácticos para acompañar la dieta.

DIABETES

cocina sana

¿QUÉ ES LA DIABETES?

En la diabetes hay una incorrecta asimilación del azúcar, lo cual la transforma en una enfermedad más complicada. La diabetes es una afección crónica que incapacita al organismo para utilizar los alimentos adecuadamente.

Cuando ingerimos alimentos éstos se descomponen convirtiéndose en una forma de azúcar denominada glucosa, que es algo así como el "combustible" que utilizan las células para proveer al organismo de la energía necesaria. Este proceso de transformar los alimentos en energía se llama metabolismo. Para metabolizar la glucosa adecuadamente, el organismo necesita una sustancia llamada insulina, que es una hormona producida en el páncreas, cuya función es regular el uso de la glucosa en el organismo. Esta función de la insulina la hace esencial en el proceso metabólico. La insulina trabaja permitiéndole a la glucosa alojarse en las células para que éstas la utilicen como combustible, manteniendo a su vez los niveles de glucosa en la sangre dentro de lo normal (70 a 110 mg/dl).

En el caso de las personas con diabetes, su cuerpo no produce suficiente insulina para metabolizar la glucosa, o la insulina que producen no trabaja eficientemente, lo que hace que la glucosa no se pueda alojar en las células y el proceso de transformación del alimento en energía no se produzca. La glucosa, en cambio, se acumula en la sangre en niveles elevados. Y se conforma lo que conocemos vulgarmente como "azúcar en la sangre".

La diabetes es una enfermedad crónica, y aunque hasta la fecha no se ha logrado una cura total (aunque la buena noticia es que ya se está trabajando en una vacuna que podría ser una solución definitiva), la misma puede ser muy bien controlada.

Un tratamiento adecuado debe proponerse mantener los niveles de azúcar en la sangre (glicemia) lo más cerca del rango normal como sea posible (70 a 110 mg/dl) durante la mayor cantidad de tiempo.

DISTINTOS TIPOS DE DIABETES

Existen tres tipos de diabetes (diabetes tipo 1, diabetes tipo 2, y diabetes gestacional) y el tratamiento es diferente en cada una de ellas.

Diabetes tipo 1

En la diabetes tipo 1 el organismo no produce insulina, por lo que la glucosa no puede entrar en las células para transformarse en energía y el nivel de azúcar en la sangre se va elevando cada vez más.
En este tipo de diabetes el páncreas no produce insulina o produce muy poco. Aunque las causas exactas aún no se conocen realmente, los científicos saben que el propio sis-

tema de defensa del organismo (sistema inmunológico) ataca y destruye las células productoras de insulina (células beta) y éstas no pueden trabajar.
Esto generalmente ocurre en niños y jóvenes, por eso también se le conoce como "diabetes juvenil".
Debido a que la insulina es necesaria para poder vivir, las personas con diabetes tipo 1 deben inyectarse insulina todos los días para poder metabolizar los alimentos que consumen, es por eso que también se llama diabetes insulino-dependiente.

Síntomas

Las personas con diabetes tipo 1 deben inyectarse insulina para mantenerse sanas y activas; para que su organismo pueda asimilar la energía que producen los alimentos.
Hay una serie de síntomas que pueden estar indicando que una persona padece diabetes. Si notamos uno o más de estos síntomas en forma reiterada, debemos visitar al médico. Con un simple examen conoceremos nuestro estado de salud.
Los síntomas de la diabetes tipo 1 generalmente aparecen repentinamente y son:

- Orina frecuente y en grandes cantidades.

- Sed excesiva.

- Hambre excesiva a toda hora.
- Pérdida de peso repentino sin causa aparente.

- Debilidad, somnolencia.
- Cambios repentinos en la visión, o visión borrosa.
- Náuseas y vómitos.

Diabetes tipo 2

En la diabetes tipo 2 el cuerpo puede producir insulina pero ésta no es capaz de abrir la puerta de las células de manera efectiva, por lo que los niveles de azúcar en la sangre tienden a elevarse.
En este tipo de diabetes el páncreas produce insulina, pero por alguna razón, el organismo no es capaz de usarla adecuadamente, por lo que a pesar de que existe insulina en cantidades apropiadas, los niveles de glucosa en la sangre no son normales.
Afortunadamente en muchos casos la diabetes tipo 2 puede ser tratada con un adecuado control del peso (muchos diabéticos tipo 2 tienen sobrepeso), dieta apropiada, reducción de ingesta de azúcar y ejercicios en otros casos será necesario también el tratamiento con medicamentos orales y en casos más severos incluso podrán requerir insulina.

La diabetes tipo 2 es conocida también como "diabetes de adultos", ya que generalmente ocurre en personas mayores de 40 años, aunque últimamente se ha incrementado el número de casos en adolescentes y niños.
Es muy importante aclarar que las chances de presentar diabetes tipo 2 se duplica con cada 20% de exceso de peso. Se cree que el exceso de grasa en el organismo disminuye la función efectiva de la insulina.
De aquí la importancia de una vida sana en dietas y en ejercicio.

Síntomas

Los síntomas de la diabetes tipo 2, generalmente, aparecen gradualmente y son:

• Orina frecuente y en grandes cantidades.

• Sed excesiva.

• Hambre excesiva a toda hora.

• Sensación de cansancio.

• Cambios repentinos en la visión, o visión borrosa.

• Náuseas y vómitos.

• Infecciones frecuentes, generalmente en las encías u orina.

- Hormigueo, entumecimiento en manos y pies.
- Picazón en la piel y genitales.
- Cortaduras y heridas que tardan en cicatrizar.
- Piel seca.

La diabetes tipo 2 (no insulino dependiente) puede pasar inadvertida por muchos años, y en algunos casos ésta es diagnosticada cuando ya se han producido daños irreversibles en el organismo.
Por eso es recomendable que todas las personas se realicen un examen de glicemia por lo menos una vez al año.

Diabetes gestacional

La diabetes gestacional es la diabetes que aparece en las mujeres que están gestando, y generalmente desaparece después del parto.
Esto se debe a que los cambios hormonales durante el embarazo hacen que en algunos casos el páncreas no sea capaz de producir suficiente insulina. Una vez que se ha producido el nacimiento y los niveles hormonales se estabilizan, esta situación se revierte.
Este tipo de diabetes generalmente pasa inadvertido, por eso es muy importante que todas las mujeres embarazadas

se realicen un examen de sangre que permita saber si su nivel de azúcar (glicemia) está normal y ser muy bien evaluadas durante todo el embarazo.
El tratamiento para este tipo de diabetes puede ser desde un régimen de dieta, hasta inyecciones de insulina. Las mujeres que cuentan con antecedentes de diabetes en sus familias tienen mayores posibilidades de tener diabetes gestacional.

Otros factores de riesgo son:
- El sobrepeso (como en la diabetes tipo 2).
- Haber tenido un bebé que pesó más de 4 kilos al nacer.
- Ser mayores de 25 años.

LOS EXÁMENES PARA DETECTARLA A TIEMPO

Las personas que tienen diabetes deben realizarse chequeos médicos con regularidad y en forma periódica.

Los distintos tipos de diabetes (tanto insulino-dependiente como la no insulino-dependiente), dan signos de aviso de un mal control o de complicaciones en desarrollo, pero en la mayoría de los casos estos signos aparecen tarde, cuando el problema ya ha dañado en algún grado cualquier órgano de su cuerpo y lo que es peor es que este daño, en algunas ocasiones, puede ser irreversible. Por ejemplo, una pérdida parcial de la visión es un signo de retinopatía, pero es ya tardío: cuando podemos notarlo es que el órgano ya ha sido dañado.

Los estudios médicos pueden en cambio detectar signos de peligro antes de que cualquier problema pueda causar algún daño crónico a nuestro cuerpo.
Un oftalmólogo, por ejemplo, puede detectar signos de retinopatía varios años antes de que ocurra alguna pérdida de la visión.
Cuando un médico detecta mediante estudios algún signo de alarma, puede detener o retardar su progresión, mediante la prescripción de un tratamiento o un cambio en su estilo de vida.
A continuación enunciaremos algunas pautas generales, pruebas y exámenes de laboratorio que toda persona diabética debe hacerse en forma periódica.

Chequeo de la presión de sangre

La presión alta de la sangre o hipertensión puede pasar inadvertida por años y provocar muchos daños de gravedad extrema (como infartos, accidentes cerebrales o problemas renales agudos). Aunque todos tenemos por lo menos una mínima noción de esto, a veces el temor y la negación hacen que intentemos evadir este tipo de controles. De manera insensata a veces preferimos "negarnos" a saber cómo estamos, si la enfermedad se mantiene controlada, y a examinarnos.

Es lógico argumentar que nunca un control nos hará enfermar y sí la falta de estos puede generarnos trastornos que, imperceptibles al principio, desemboquen en problemas de solución ya más complicada. Siempre es mejor prevenir.

Es muy importante que chequeemos la presión en la sangre en cada visita al médico porque de esta manera podremos evitar todos los problemas posteriores.
Los siguientes son los exámenes que las personas con diabetes deben hacerse periódicamente:

Hemoglobina glicosilada

Las personas que no tienen un buen control de la diabetes deberían hacerse este examen cuatro veces al año. En caso de personas con mejor control y hábitos a veces puede bastar con dos exámenes anuales.
La hemoglobina glicosilada muestra un estimado del promedio del nivel de azúcar en la sangre en los últimos cuatro meses. Si es alta, el médico seguramente querrá alterar el programa de manejo de diabetes, tratando de mantener los niveles de glucosa lo más cercanos posible a los parámetros normales (lo normal sería 70-110mg/dl). De esta manera se reducen los riesgos de desarrollar complicaciones crónicas.

Examen físico general

Este es un chequeo muy amplio pero exhaustivo, que debe realizarse por los menos una vez al año, para detectar cualquier problema en su etapa inicial.
Es particularmente importante realizarse un examen físico completo si hemos sido diagnosticados con diabetes tipo 2, ya que este tipo de diabetes por lo general pasa inadvertido por años y las complicaciones podrían haber comenzado antes del momento del diagnóstico.
De todas maneras, no se deben soslayar las visitas médicas en períodos intermedios entre los exámenes físicos anuales. Durante estas visitas, el médico debe realizarnos ciertos exámenes de rutina y además nos supervisará en el manejo cotidiano de nuestra diabetes. Además, desde el plano psicológico, nos permitirá sentirnos seguros y acompañados.

Exámenes renales

Estos son exámenes de sangre y orina (microalbuminuria, depuración de creatinina, etc.) que determinan si nuestros riñones están funcionando de manera correcta.
Estos exámenes deben realizarse por lo menos una vez al año y si estas pruebas revelan los primeros signos de enfermedad del riñón, podemos, con la orientación del facultativo, dar los pasos necesarios para controlarlos eficientemente.

Examen completo de la vista

Este examen debe ser realizado por un oftalmólogo, por lo menos una vez al año. Este examen es muy importante ya que cuando la retinopatía se detecta a tiempo, puede ser tratada sin mayores inconvenientes y en la mayoría de los casos, se pueden prevenir problemas mayores y conservar una buena visión.

Exámenes para chequear niveles de lípidos

Este examen debe ser realizado al momento de ser diagnosticada la diabetes. Si los niveles son normales, deben ser revisados periódicamente bajo las recomendaciones del médico. Si las pruebas muestran niveles anormales, se ajustarán cambios en la dieta y en el control de los niveles de glucosa en la sangre.
Las personas con diabetes frecuentemente tienen niveles anormales de grasas en la sangre. Las grasas de la sangre más importantes son el colesterol y los triglicéridos. El colesterol total debe ser 200 miligramos por decilitro (mg/dl) o menos. Es de suma importancia que el colesterol HDL (el comúnmente llamado colesterol bueno) esté sobre los 40 mg/dl y el nivel de triglicéridos por debajo de 200 mg/dl.

Los niveles de grasas en nuestra sangre están conectados al riesgo de enfermedades del corazón. Si se mantienen estos niveles bajo control, se disminuirá este riesgo.
Tener altos niveles de azúcar en la sangre por largos períodos provocará un alza en los niveles de triglicéridos. Esto puede causar un nivel alto del colesterol total, con la complicación adicional de que los triglicéridos altos reducen los niveles de colesterol bueno. Un mejor control de la glucosa en la sangre disminuye los niveles de triglicéridos, bajando de esta forma los niveles de colesterol total e incrementando el nivel de colesterol bueno (HDL).

Mientras más alto sea el nivel de colesterol bueno y más bajo sea el nivel de colesterol malo, tendremos menos riesgo de sufrir enfermedades cardíacas.

Exámenes especiales

Acá estamos refiriéndonos al control de problemas específicos que pueden aparecer, como por ejemplo:

- problemas de índole sexual (impotencia)
- adormecimiento o hinchazón de las piernas
- molestias o dolores en el estómago

• dificultades en la visión (nublada)

• dolores en el pecho

• dolores en los pies

Ante la aparición de cualquiera de estos síntomas, debe consultarse de inmediato al médico, ya que cualquiera de éstos puede estar relacionado con enfermedades o complicaciones serias que deben ser tratadas a tiempo para evitar problemas mayores.

EL TRATAMIENTO CORRECTO

El tratamiento o seguimiento médico de la diabetes tiene como objetivo hacer o ayudar a que se haga lo que el organismo debería realizar normalmente, o sea, mantener el apropiado balance de insulina y glucosa en sangre. Esta "forma de ayuda" al cuerpo puede realizarse de varias maneras, con uno o varios de estos elementos básicos (según el cuadro que se presente):

- aplicación de insulina.
- medicamentos por vía oral.
- régimen nutricional.
- plan de ejercicios.
- educación diabetológica que haga que el paciente sea consciente de cada uno de sus actos y esto permita que opte por cosas que mejoren su calidad de vida.

Para decirlo sencillamente: los alimentos hacen que los niveles de azúcar en la sangre se eleven, y el ejercicio y la insulina hacen que éstos niveles disminuyan. Pero debe mantenerse un equilibrio.
El control eficaz de la diabetes es un constante balance de estos tres elementos, y esto debe proyectarse para todos los momentos de la vida del paciente, de aquí que reiteramos la importancia de una buena información y un "hacerse cargo" de la necesidad de asumir estos cuidados como estilo de vida.
Si no se establece este balance de niveles de azúcar en la sangre puede existir el riesgo de alguna de las dos emergencias típicas en esta patología, que son:

- hipoglicemia (bajos niveles de azúcar en la sangre) o
- hiperglicemia (elevados niveles de azúcar en la sangre).

Si los niveles de azúcar se mantienen muy elevados por un período de tiempo largo, esto puede traer como consecuencia una situación peligrosa, denominada cetoacidosis. Si no se controla el elevado nivel de glucosa en la sangre por varios años se pueden desarrollar las temibles complicaciones crónicas asociadas con la diabetes.

Los medicamentos de vía oral

Afortunadamente, casi el 90% de las personas con diabetes son del tipo 2. Como ya dijimos, a diferencia de las personas que tienen diabetes tipo 1, que no producen insulina en lo absoluto, las personas con diabetes tipo 2 sí la producen; pero, o bien en cantidad insuficiente, o bien el cuerpo no posee la capacidad de aprovechar adecuadamente la insulina que produce.

En esta segunda condición, cuando la insulina está presente pero no reduce eficientemente el azúcar de la sangre, se produce un síntoma que es llamado resistencia a la insulina y es un factor clave en la diabetes tipo 2 (no insulino-dependiente).

Por otra parte, el 80% aproximadamente de las personas con diabetes tipo 2 son obesas, porque el exceso de peso es una de las causas de resistencia a la insulina. Si se trata del caso, más raro, de personas delgadas, puede deberse a que sintomáticamente posean una secreción de insulina irregular.

La mayoría de la gente que padece diabetes tipo 2 no necesita ser tratada con insulina. Aproximadamente, un 25% sólo necesita ser tratado a través de dietas y programas de ejercicios, en suma un cambio positivo en los modos de vida y un 50 % puede ser tratado con medicamentos orales, denominados agentes hipoglicemiantes orales, que actúan para mantener los niveles de azúcar de la sangre. Los agentes hipoglicemiantes orales son comprimidos que se ingieren por vía oral y que se usan para reducir el nivel de azúcar en la sangre.

Debemos aclarar que no se trata de comprimidos de insulina, ya que la insulina es una hormona y no puede ser tomada oralmente porque sería destruida por las mismas enzimas que intervienen en la digestión. Si la ingiriéramos nuestro proceso digestivo la dejaría reducida a sustancias simples o aminoácidos sin ningún poder o efecto sobre los niveles de glicemia. De manera que la insulina sólo puede inyectarse.

La clase más común de medicamentos orales para la diabetes es llamada sulfonilúreas, que vienen usándose ya desde hace más de 30 años. Las sulfonilúreas reducen los niveles de azúcar en la sangre debido a que:

- estimulan al páncreas para que éste produzca más cantidad de insulina.

- generan en los tejidos corporales una mejor recepción a la insulina, de modo que con la misma cantidad de insulina el proceso metabólico se optimiza.

Las personas para las cuales son efectivos este tipo de medicamentos deben tener una producción de insulina, aunque sea mínima.

Ocasionalmente, el medicamento puede perder efectividad después de varios años de uso; en ese caso, generalmente se recomienda iniciar un tratamiento con insulina.

Como dijimos, la dieta y el ejercicio regular son la base fundamental del tratamiento de la diabetes tipo 2. Debido a que el sobrepeso es una de las principales causas de la diabetes tipo 2, un programa estricto de dieta y ejercicio regular son las primeras alternativas del tratamiento que el médico implementará.

La pérdida de peso y el ejercicio ayudan a las células del cuerpo a usar la insulina con mayor eficiencia, por lo que en muchos casos las personas con diabetes tipo 2 pueden mantener sus niveles de glicemia dentro de los valores normales sin necesidad de ningún tratamiento adicional. Y esto se suma a los demás beneficios que se obtienen en el área de salud, como por ejemplo abandonar el sedentarismo y optar por una dieta sana.

De todos modos, si los niveles de azúcar en la sangre continúan siendo altos después de hacer estos cambios en el "estilo de vida", el próximo paso en el tratamiento son los agentes hipoglicemiantes orales o incluso, en algunos casos, podría requerirse el uso de insulina.

Debe quedar claro aquí que la ingesta de medicamentos por vía oral de ninguna manera reemplaza al ejercicio y a la pérdida de peso. Es importante hacer ejercicios con regularidad, ya que esto ayuda a la insulina a trabajar más eficientemente, y a nosotros a controlar nuestro peso.

Esto sin contar que el ejercicio, además, ayuda a liberar endorfinas que nos permiten una sensación de bienestar y de placer.

Tipos de medicamentos disponibles en la actualidad

Actualmente, existen tres tipos de hipoglicemiantes orales, los cuales actúan de diferentes maneras para reducir los niveles de glucosa en la sangre, estos son:

El primer tipo, como ya dijimos, son las sulfonilúreas, las cuales estimulan las células beta para que segreguen mayor cantidad de insulina. Estos medicamentos han sido usados desde 1950 y se dividen en sulfonilúreas de primera generación (porque fueron usadas a mediados de los años 60) y sulfonilúreas de segunda generación, que fueron introducidas a mediados de los años 80, y que son las que más se utilizan en la actualidad. Las únicas sulfonilúreas de primera generación que se siguen utilizando son las contenidas en el chlorpropamide. Debido a que las sulfonilúreas estimulan la secreción de insulina, este tipo de tratamientos hacen que estemos atentos a la posibilidad de una hipoglicemia (baja del nivel de azúcar en la sangre).

El segundo tipo de medicamentos orales ayudan a la insulina (presente en el organismo) a trabajar mejor y se dividen en: metformin (glucofage), que es un biguanide que ayuda a la insulina, sobre todo en el hígado. Un posible efecto secundario de este tipo de medicinas pueden ser problemas intestinales y diarrea, pero esto puede mejorar si el medicamento se administra durante las comidas. Los glitazones, rosiglitazones y pioglitazones forman un grupo de medicamentos llamados tiazolidindiona que ayudan a la insulina a trabajar mejor en los músculos y las grasas. Los glitazones pueden producir serios efectos secundarios en el hígado. Si usamos este medicamento debemos monitorear regularmente el buen funcionamiento del hígado.

El tercer tipo de medicamentos orales son considerados antihiperglicemiantes, son inhibidores alfa-glucosidasa que retardan la absorción de glucosa en el organismo. Este tipo de medicamentos puede tener efectos secundarios incluyendo gases y diarrea.

Por supuesto, es el médico quien debe determinar qué tipo de hipoglicemiantes de ingestión oral serán los más apropiados para cada persona, basándose en los datos de su salud general, el nivel promedio de azúcar en la sangre, edad, hábitos de alimentación, el hecho de si usa o no otro tipo de medicamentos y la posibilidad de cualquier efecto colateral.

Para dar un ejemplo: una persona de edad avanzada, que no ha adquirido un hábito saludable de alimentación, no debería optar por la ingesta de una sulfonilúrea poderosa, de larga duración.

Una persona con una función deficiente del riñón no debe usar acetohexamide, tolazamide, chlorpropamide o glyburide porque estos medicamentos tienden a acumularse en el riñón. Para algunas personas, con un encuadre del síntoma específico, es preferible tomar una única dosis poderosa al día; para otros, dosis pequeñas y más frecuentes son más recomendables.

Por supuesto, lo que aquí planteamos es solamente orientativo: cada médico evaluará el caso y optará por lo que considere más conveniente, supervisando todo el tiempo los efectos que las drogas generen en el organismo del paciente.

La dosificación

Una vez que el profesional médico ha seleccionado el tipo de hipoglicemiante oral más adecuado, se aconseja que la toma sea iniciada con la dosis más baja posible.
Luego, esta dosis puede ser incrementada cada semana, hasta que el control de azúcar en la sangre sea el buscado. Si la dosis más alta recomendada no brinda el resultado deseado, el médico considerará otro agente hipoglicemiante, de acción más intensa e incluso, si la situación lo demanda, la posibilidad de utilizar insulina.

Cuando se logra un buen control con una dosis en particular, es conveniente reducir la dosis periódicamente, para reducir la dependencia del paciente a la droga. En algunos casos, la dosis puede ser reducida al máximo e incluso podría ser eliminada, pudiendo el paciente lograr un buen control del azúcar en su sangre sólo con un plan de ejercicios y cuidados en la dieta.

En otras palabras, dependiendo del tipo de enfermedad y del grado de actitudes "por una vida sana" que tengamos, podremos a veces bajar nuestra dependencia a los medicamentos (eso sí, siempre que el médico lo considere factible y bajo estricta supervisión).

Efectos no deseados

Si se trata de medir los efectos no deseados, las sulfonilúreas son hipoglicemiantes relativamente benignos, que causan escasos efectos colaterales. Sólo en muy pocos casos, aproximadamente un 2% de las personas que comienzan usando medicamentos orales, deben dejarlos por percibirse reacciones adversas.
Algunos de estos efectos pueden ser la hipoglicemia (la baja excesiva del nivel de azúcar en la sangre de la que ya habláramos), efectos en la piel o anemia. Si los efectos secundarios aparecen, debemos contactar al médico.

La combinación de terapias

Cuando las sulfonilúreas no son suficientes para obtener un control adecuado del azúcar en la sangre, los médicos nos recomendarán la utilización de una combinación de medicamentos orales, e incluso, en algunos casos, la aplicación de insulina.
Investigaciones actuales demuestran que algunos pacientes recientemente diagnosticados que recibieron insulina inmediatamente respondieron mejor y por más tiempo a los medicamentos orales.

De la misma forma, las personas con un alto porcentaje de sobrepeso, que requieren de una dosis elevada de insulina, pueden ingerir agentes hipoglicemiantes orales con la esperanza comprobada de reducir sus requerimientos de insulina.
Los agentes hipoglicemiantes orales son muy efectivos en el tratamiento de la diabetes tipo 2, sin embargo, no deben ser tomados como la primera alternativa para alcanzar un buen control de azúcar en la sangre.

Reiteramos enfatizando una vez más que una dieta apropiada que regule además el exceso de peso, y los ejercicios, son las terapias para escoger para las personas con diabetes tipo 2. Esto, junto con un monitoreo personal de la glucosa y los medicamentos (en caso de ser necesarios), son la clave para lograr un buen control de la diabetes para prevenir la aparición de complicaciones crónicas.

UNA ALIMENTACIÓN ADECUADA

La alimentación es uno de los factores clave en el tratamiento de las personas con diabetes, ya que los nutrientes que consumimos son absorbidos en el intestino y pasan directamente a la sangre. El fluido sanguíneo luego distribuye estos nutrientes hacia los órganos que los requieran, ya sea para aportar energía o para construcción y recambio celular.

Para llevar a cabo esta distribución de nutrientes el organismo produce varias hormonas, de las cuales una de las principales es la insulina, que interviene en el metabolismo de carbohidratos, proteínas y grasas.

En el caso de las personas con diabetes, el cuerpo no es capaz de producir suficiente insulina o la insulina que produce no actúa en la forma adecuada, de manera que no puede distribuir ni utilizar estos nutrientes como corresponde.

La finalidad de seguir un plan de alimentación en la persona con diabetes es suministrarle la cantidad de energía, proteínas, carbohidratos y grasas que su organismo pueda utilizar adecuadamente y coordinar esto con el tratamiento médico (sea insulina o agentes hipoglicemiantes orales) y con el ejercicio físico.
Las necesidades nutricionales de la persona con diabetes deben ser calculadas por un profesional en nutrición, después de una cuidadosa evaluación que incluye además del peso corporal, la estatura, la edad, los exámenes de laboratorio y los hábitos alimentarios del individuo.
Una vez que se estudian los factores mencionados, se calculan las necesidades individuales tomando en cuenta las calorías, proteínas, grasas y carbohidratos.

Las calorías

Al hablar de calorías nos estamos refiriendo a la cantidad de energía que necesita el organismo para realizar sus funciones básicas (respiración, recambio celular, excreción de toxinas, etcétera), además de la energía necesaria para el crecimiento (en caso de niños y adolescentes) y para realizar actividad física. La cantidad de calorías necesaria varía según la edad, estatura y peso.

Si tenemos exceso de peso deberemos consumir menos energía de la que gasta nuestro organismo para que éste pueda consumir la energía que tiene acumulada en la grasa corporal, en este caso la dieta indicada se llama hipocalórica o baja en calorías.

Si tenemos un peso adecuado el plan de alimentación será normocalórico.

Si el peso es bajo tendremos que consumir más calorías para ganar peso (dieta hipercalórica).

Las calorías o energía que aportan los nutrientes son:

- **Proteínas:** 4 calorías por gramo.
- **Grasas:** 9 calorías por gramo.
- **Carbohidratos:** 4 calorías por gramo.

Las proteínas

Las proteínas son sustancias formadas por aminoácidos que el organismo utiliza para la formación de células. Se encuentran principalmente en los alimentos de origen animal como: pollo, pescado, carnes, huevo, leche, quesos. También algunos alimentos vegetales, como los granos, son ricos en proteínas (como las lentejas).

La cantidad de proteínas necesaria se calcula individualmente y no deben ser consumidas en exceso, ya que si bien no aumentan los niveles de azúcar en la sangre, ellas aportan también grasas saturadas y aunque le quitemos la piel al pollo o la grasa a la carne, entre sus fibras queda algo de grasa que no vemos.
Por otra parte el exceso de alimentos de procedencia animal puede sobrecargar el trabajo de los riñones, y ya mencionamos antes que las personas con diabetes deben tener especial cuidado con estos órganos.

Los lípidos o grasas

Estas son sustancias que aportan gran cantidad de energía o calorías. No deben eliminarse totalmente de la dieta sino saber qué tipo de grasa es buena y consumirla en cantidades moderadas.
Las grasas saturadas están presentes en los alimentos de origen animal (manteca, panceta, etcétera). Al calentar los aceites, éstos también se convierten en grasas saturadas. Las grasas saturadas tienen efectos muy dañinos ya que elevan los niveles de colesterol en la sangre y pueden provocar obstrucción de las arterias. También se encuentran en algunas grasas vegetales como el aceite de palma y el coco.
Las grasas insaturadas o polinsaturadas se encuentran en los aceites como el de maíz, girasol, ajonjolí y margarinas.

Es seguro consumirlas en crudo (sin calentar) y en cantidades moderadas (para aderezar las ensaladas).
Las grasas monoinsaturadas están presentes en la aceituna, palta y aceite de oliva. Este tipo de grasas no tienen efectos dañinos sobre el nivel de colesterol en la sangre, y también pueden ser consumidas en cantidades moderadas.

Los carbohidratos

Los carbohidratos se pueden dividir en dos grupos:

- Sencillos
- Complejos

Hasta hace varios años existía la creencia de que los diabéticos debían evitar el pan, las pastas, las papas, las uva, etcétera; hoy en cambio se recomienda el consumo de estos alimentos en cantidades que varían según las necesidades individuales.
Los carbohidratos sencillos son los que se absorben más rápidamente en el torrente sanguíneo, como el azúcar blanco o morena (sacarosa), la miel, etcétera. Su consumo debe evitarse, a menos que sean permitidos en cierta cantidad por el profesional en nutrición que lo asesore.
Las frutas también contienen carbohidratos sencillos (fructosa), pero como contienen fibra su consumo es permitido a diario en las cantidades individualmente requeridas.

Los carbohidratos complejos son los que están en el maíz, trigo, avena y derivados (pan, galletitas, pasta), también están en los tubérculos como la papa y la batata y en la banana.
Todos los carbohidratos complejos pueden incluirse en la alimentación de las personas con diabetes respetando las necesidades individuales. Se absorben más lentamente en la sangre y siempre se recomienda consumirlos en forma integral por su alto contenido de fibra, sin embargo no se elimina el pan blanco ni los cereales, que no sean integrales.
Las personas con diabetes obtienen más beneficios de una alimentación completa y balanceada que si eliminan alimentos de su dieta. La clave está en cuánto necesita cada individuo y esto debe ser calculado por un profesional de la nutrición.

Un ejemplo de menú es el siguiente:

Desayuno:
Leche descremada
Galletitas de agua
Margarina
Queso blanco bajo en sal

Almuerzo:
Sopa de espinaca
Pollo asado

Ensalada de lechuga, tomate y cebolla aderezada con aceite de oliva
Arroz
Ensalada de frutas

Merienda:
Gelatina dietética con fruta

Cena:
Pescado asado o al horno
Ensalada de hojas
Ananá

Este ejemplo de menú no indica las porciones, ya que, como mencionamos anteriormente, cada persona debe tener un plan de alimentación individualizado según sus requerimientos, el cual debe ser establecido por su nutricionista.

HÁBITOS Y COSTUMBRES SALUDABLES

Ejercicio y actividad física

La actividad física es importante para todo el mundo, pero es extremadamente beneficiosa para las personas con diabetes.
Para una persona diabética el ejercicio tiene beneficios adicionales a corto y a largo plazo. Cuando la actividad física es realizada con disciplina puede usarse día tras día para ayudar a que los niveles de glicemia en la sangre se mantengan dentro de los niveles normales.
Durante la actividad física, los músculos del cuerpo utilizan mayor cantidad de glucosa, que cuando el cuerpo está en reposo y esto hace que los niveles de glucosa en la sangre bajen. Debido a esto, antes de realizar cualquier

ejercicio las personas con diabetes deben tomar todas las previsiones necesarias para evitar hipoglicemias.
A largo plazo, el ejercicio incrementa la sensibilidad de las células del cuerpo ante la insulina, haciendo más efectiva la insulina (inyectada o producida por el cuerpo), reduciendo de esta manera la cantidad requerida.
El ejercicio también ayuda a bajar los niveles de grasas en la sangre tales como el colesterol y los triglicéridos; cantidades excesivas de estas grasas en la sangre contribuyen a desencadenar la "ateroesclerosis"(deposición de grasas en las paredes de los vasos sanguíneos). Esta enfermedad se desarrolla con mayor frecuencia en personas con diabetes, por lo tanto bajar los niveles de estas grasas en la sangre haciendo ejercicios genera un gran beneficio adicional.
El ejercicio también nos ayuda a bajar de peso y de esta manera controlar mejor los problemas que podemos tener con la hipertensión. Además, el ejercicio físico nos hará sentir mejor tanto física como emocionalmente.

Sugerencias antes de empezar

Antes de comenzar a hacer ejercicios es muy importante consultar con nuestro médico, tal vez él nos pida que realicemos exámenes médicos de manera previa.
Debemos explicar al médico cuál es nuestro plan de ejercicios, especificándole el tipo y la frecuencia. Debemos preguntarle si tenemos algún problema que limite nues-

tras opciones. Puede ser que el médico nos recomiende hacer ciertos cambios en el plan de ejercicios o ajustes en la alimentación y medicación.
Recuerde que cuando usted realiza ejercicios sus niveles de glicemia bajan, por lo que debe estar muy atento a las hipoglicemias. Es muy importante que se realice una prueba de glicemia antes de comenzar a realizar ejercicios y llevar siempre consigo alguna fuente de azúcar de rápida absorción (caramelos, sobres de azúcar, etc.), para contrarrestar cualquier problema que se pudiese presentar.
Si por el contrario, sus niveles de glicemia están muy elevados deberá realizarse una prueba de cetonas en la orina ya que si usted tiene cetonas no debe hacer ejercicios debido a que sus niveles de azúcar en la sangre y cetonas podrían elevarse aún más.

Algunos consejos

El monitoreo de glicemias aporta información muy importante acerca de cómo el ejercicio afecta los niveles de glicemia. La necesidad o no de alimento extra, así como de la cantidad requerida dependerá de una serie de factores como la hora del día, duración e intensidad del ejercicio.

Por esto se recomienda:

• Estar atentos a la"hora pico" de acción de la insulina inyectada, ya que si una persona con diabetes, que necesita inyectarse insulina, va a hacer ejercicios en el momento en que la insulina ejerce su mayor potencia (hora pico), esto podrá causar una hipoglicemia. Por ejemplo si la persona se inyecta una mezcla de insulina regular y NPH a las 7.00, esta ejercerá su máximo pico de acción (hora pico) a las 10.00 y luego otra vez a las 15.00, por lo que se debe planificar la actividad física en horarios que no coincidan con estas horas.

• Inyectar la insulina en un "sitio de inyección" acorde con el ejercicio que vamos a realizar. El efecto causado en los músculos durante el ejercicio aumenta la absorción de insulina desde el "sitio de inyección" y tiende a pasarla más rápidamente al torrente sanguíneo. Debido a esto es recomendable no inyectar en brazos o piernas, si pensamos realizar ejercicios en un lapso de 2 horas después de la inyección. Por ejemplo si vamos a correr o a andar en bicicleta, la insulina no debería ser inyectada en las piernas. El brazo y el abdomen deberían ser en este caso los "sitios de inyección" por utilizar.

• Cuando de niños se trate, los cuales son espontáneos y generalmente no planifican la actividad física que van a realizar, sus ejercicios deben ser vigilados por sus padres, familiares o maestros, para que estén pendientes de cualquier síntoma y preparados para contrarrestar las posibles hipoglicemias con alguna fuente de azúcar de rápida absorción (caramelos, miel, azúcar, etc.).

• Durante la primera hora de ejercicios vigorosos, los músculos usan la glucosa presente en la sangre, así como también el "glucógeno" almacenado en los músculos y el hígado. Después de finalizado el ejercicio las reservas de glucógeno del hígado y los músculos (utilizado durante el ejercicio) deben ser restituidas. Este proceso de reponer el glucógeno utilizado durante el ejercicio prolongado y fuerte puede durar entre 12 a 24 horas. Durante este tiempo la glucosa que normalmente se quedaría en la sangre es utilizada para restituir estas reservas de glucógeno, lo cual traerá como consecuencia que los niveles de glucosa bajen; por esta razón las personas con diabetes deben monitorear sus niveles de glicemia al terminar de realizar ejercicios y antes de acostarse a dormir cuando realicen una actividad física prolongada e intensa.

• El monitorear sus niveles de glicemia es muy importante ya que además nos puede indicar si los niveles de glicemia están muy elevados (240 mg/dl o más), en este caso es recomendable realizarse una prueba de cetonas en la orina; si hay presencia de cetonas (cetonuria) no se debe hacer ejercicios ya que esto puede causar un incremento aún mayor de los niveles de glicemia y cetonas pudiéndose incluso llegar a una situación muy peligrosa llamada "cetoacidosis". Esto sucede porque en ausencia de suficiente insulina evidenciada por "cetonuria", el hígado elabora cantidades excesivas de glucosa que no puede ser utilizada por los músculos, por lo que la glucosa se acumula en la sangre aumentando los niveles de glicemia. Por otro lado, los músculos no son capaces de utilizar la glucosa para obtener la energía necesaria para realizar la actividad física, por lo que apelan a la grasa como fuente de energía. Las cetonas son los productos de desecho de este proceso donde las células deben "robar" la energía de la grasa. Por lo tanto si tenemos cetonas (cetonuria) debemos controlar primero nuestros niveles de glicemia y cetonas, consultar con el médico y luego comenzar con el plan de ejercicios.

Recomendaciones finales

Hacer ejercicios es muy beneficioso y divertido. Es una actividad que podemos realizar con tranquilidad y de manera segura, siempre y cuando tengamos en cuenta las siguientes recomendaciones:

• Escojamos una actividad física que disfrutemos y que sea fácil y segura de hacer. (Caminar es una buena opción).

• Utilizar el equipo adecuado para realizar actividad física. Si vamos a caminar o a trotar debemos usar el calzado adecuado con soportes que queden cómodos y calcetines de algodón, de costuras suaves.

• Revisemos nuestros pies para asegurarnos de no tener cortaduras, ampollas o áreas enrojecidas antes y después de realizar ejercicios (en ese caso, consultar de inmediato al médico).

Comenzar la rutina de ejercicios lentamente y aumentar progresivamente la duración de la actividad física:

• Ejercitarnos todos los días, preferiblemente a la misma hora y con la misma intensidad y duración.

• Verificar niveles de glicemia antes y después del ejercicio, en especial cuando hacemos más ejercicio de lo habitual.

• Medir el contenido de cetonas en la orina. Si tenemos cetonas no debemos hacer ejercicios hasta que esta situación esté bien controlada.

• Llevar siempre fuentes de azúcar de rápida absorción (caramelos, bolsas de azúcar, chocolates, etc.), para contrarrestar una posible hipoglicemia.

• Beber cantidades adicionales de agua antes, durante y después de realizar ejercicios.

• En lo posible, hacer ejercicios en compañía de alguien que conozca "nuestra condición" y sepa qué hacer en caso de una hipoglicemia.

• Llevar consigo una tarjeta telefónica o un celular para utilizar en caso de emergencia.

• Si empieza a sentir dolores en el pecho o en las piernas debemos interrumpir de inmediato la actividad y llamar al médico.

Recordemos que muchas personas con diabetes tipo 2 pueden controlar muy bien sus niveles de azúcar en la sangre simplemente con dieta y ejercicios. En los casos en que las personas con diabetes requieran medicación (hipoglicemiantes orales o insulina), el ejercicio será de gran ayuda para mantener los niveles de glicemia bien controlados.

RECETAS PARA DIABÉTICOS

Brochette de cerdo

INGREDIENTES

• Solomillo de cerdo	500 gr
• Cebolla	500 gr
• Morrón verde	500 gr
• Tomate	500 gr
• Sal	
• Pimienta	
• Aceite	25 cm^3

PREPARACIÓN

• Pelar y cortar la cebolla en daditos.

• Cortar también el morrón y el tomate.
• Cortar el solomillo en cubitos de tres centímetros.
• En un palillo para brochettes armar la presentación intercalando un trocito de cada ingrediente.
• Se pueden cocinar en una placa de horno aceitada o a la parrilla.
• Salpimentar a gusto y servir.

Crema de zuchinis

INGREDIENTES

• Zuchinis	1,250 kg
• Cebollas	3
• Caldo en cubos	2
• Queso crema dietético	100 gr
• Perejil	100 gr

PREPARACIÓN

• Picar el perejil y reservar
• Pelar y trocear las cebollas.
• Lavar los zuchinis y cortar sus extremos.
• Cortarlos en trozos finos y agregarles la cebolla.
• Colocar en una cacerola y cubrir con agua.

• Añadir el caldo y llevar a fuego moderado.
• Dejar hervir y, cuando los zuchinis se tiernicen, retirar del fuego.
• Agregar el queso crema y procesar con una minipimer hasta formar una crema.
• Espolvorear con el perejil picado y servir caliente.

Ensalada de palta y naranjas

INGREDIENTES

• Palta	500 gr
• Naranjas	400 gr
• Aceite de oliva	25 cm^3
• Jugo de naranja	75 cm^3
• Jugo de limón	3 cdas
• Vinagre	3 cdas.
• Perejil	
• Sal	
• Pimienta	

PREPARACIÓN

• Preparar los jugos y colarlos.

• Picar el perejil.
• Preparar una vinagreta con: el vinagre, los jugos de naranja y limón, el aceite de oliva, el perejil.
• Salpimentar a gusto.
• Reservar en un recipiente tapado.
• Pelar las naranjas retirando la cáscara y la piel blanca que las recubre.
• Abrir las paltas al medio, retirarles el carozo, pelarlas y cortarlas en láminas finas.
• Rociar con el jugo de limón.
• Ubicar las rodajas de palta en el plato en forma de abanico y, sobre ellas, colocar los gajos de naranja.
• Rociar con la vinagreta.
• Servir espolvoreado con el perejil picado.

Estofado de ternera

INGREDIENTES

• Carne de ternera desgrasada	500 gr
• Cebolla	3
• Aceite de oliva	25 cm^3
• Ajo	2 dientes
• Laurel	2 hojas
• Sal	
• Pimienta	

PREPARACIÓN

• Pelar y cortar la cebolla en trozos medianos.
• Picar el ajo.
• Cortar la carne en cubos de 2 ó 3 centímetros.
• Colocar en una cacerola el aceite, la cebolla, el ajo y el laurel.
• Salpimentar a gusto.
• Rehogar a fuego moderado y agregar la carne.
• Cubrir con agua y continuar la cocción hasta que la carne se encuentre tierna.
• Servir en cazuelas o platos hondos.

Galletas integrales de limón

INGREDIENTES

• Harina integral	200 gr
• Copos de salvado	75 gr
• Margarina	70 gr
• Puré de papas	75 gr
• Levadura	2 cditas
• Cáscara de limón rallada	1
• Sal	1 pizca

• Huevo	1
• Jugo de limón colado	4 cdas.
• Edulcorante líquido	

PREPARACIÓN

• Mezclar en un bol los copos de salvado, la harina, la levadura, la ralladura de limón y la sal.
• Añadir la margarina en trocitos y trabajar la masa con las manos hasta unir los ingredientes.
• Incorporar el puré y un chorrito de edulcorante líquido.
• Batir con una cuchara y agregar el huevo y el jugo de limón.
• Una vez que la masa se haya vuelto uniforme, estirarla sobre una superficie enharinada. Debe tener más o menos 1 centímetro de altura.
• Cortar galletas de la forma deseada, pero que no superen los 7 centímetros de lado.
• Repartir las galletas en una placa para horno enmantecada y llevarla a horno moderado 18 minutos.
• De estas galletas se pueden comer hasta 4 por día.

Helado de limón

INGREDIENTES

- Limones 2
- Sacarina 6 gotas
- Leche condensada 200 cm^3

PREPARACIÓN

- Exprimir los limones y colar el jugo.
- Rallar la cáscara de uno de los limones.
- Batir la leche condensada con batidora de mano.
- Añadir el jugo de los limones, la ralladura de un limón y las gotas de sacarina.
- Volver a batir y poner en el congelador 6 horas.

Pastel de papas gratinado

INGREDIENTES

- Papas 600 gr
- Queso rallado 5 cdas.

- Salsa de tomate 250 cm^3
- Mayonesa dietética 5 cdas.

PREPARACIÓN

- Pelar las papas.
- Hervirlas en abundante agua con sal. Retirar del fuego y dejar enfriar.
- Pisar las papas y mezclarlas con la mayonesa hasta formar un puré cremoso.
- Distribuir en una placa para horno.
- Cubrir con la salsa de tomates.
- Espolvorear con el queso rallado y llevar a horno fuerte para gratinar.
- Servir caliente.

Peras hervidas al vino

INGREDIENTES

- Peras 1 kg
- Vino tinto dulce 350 cm^3
- Sacarina 2 cdas.
- Canela 1 cda.

PREPARACIÓN

- Pelar las peras y colocarlas en una cacerola.
- Añadir el vino, la sacarina y la canela a gusto.
- Hervir a fuego bajo.
- Dejar enfriar a temperatura ambiente y luego llevar 60 minutos a la heladera antes de servir.
- Se pueden espolvorear con canela.

Pizza con masa vegetal

INGREDIENTES

• Espinacas	100 gr
• Acelga	100 gr
• Huevo	1
• Queso descremado	50 gr
• Puré de tomates	50 cm^3
• Orégano	
• Pimienta	
• Ajo	

PREPARACIÓN

- Hervir las espinacas y la acelga.

• Retirar, escurrir y picar.
• Añadir el huevo y procesar con una minipimer.
• Humedecer una pizzera con aceite y verter sobre la misma la masa de verduras.
• Llevar a horno mínimo 10 a 12 minutos.
• En un bol colocar el puré de tomates y condimentarlo con orégano, pimienta y ajo, pero sin excederse.
• Retirar la pizzera del horno y cubrirla con la salsa de tomate.
• Distribuir el queso.
• Llevar a horno moderado hasta que se derrita el mismo y servir.

Roll de carne con salsa

INGREDIENTES

• Carne picada desgrasada	400 gr
• Salsa de tomate	200 cm^3
• Arroz	150 gr
• Jamón serrano	50 gr
• Aceite	25 cm^3
• Ajo	3 dientes
• Perejil	2 ramitas
• Sal	
• Pimienta	

PREPARACIÓN

• Hervir el arroz y reservar.
• Colocar en la procesadora la carne picada, el ajo, el jamón y el perejil.
• Procesar todo. Salpimentar a gusto.
• Con la pasta obtenida formar varios rollos.
• Pasarlos por la harina.
• Calentar aceite en una sartén y cocinar los roll de carne.
• Servirlos calientes, cubiertos con la salsa de tomate y una porción de arroz.

Tarta simple de manzana

INGREDIENTES

• Manzanas	650 gr
• Masa de hojaldre	300 gr
• Margarina vegetal	15 gr
• Aspartamo	25 gr

PREPARACIÓN

• Extender la masa de hojaldre sobre una mesada.
• Precalentar el horno.

• Dividir en dos partes iguales y hornear 15 minutos a temperatura moderada.
• Retirar del horno y dejar enfriar.
• Pelar, limpiar y retirar el corazón de las manzanas. Cortarlas en cubos pequeños.
• Derretir la margarina en una sartén y cocinar la fruta durante 8 minutos.
• Añadir el aspartamo y cocinar 2 ó 3 minutos más.
• Colocar la preparación de manzana sobre una de las porciones de hojaldre horneada.
• Cubrir con el otro trozo de masa.

Tomates a la crema

INGREDIENTES

• Tomates 6
• Cebollas 3
• Papas 3
• Aceite 25 cm^3
• Sal
• Pimienta

PREPARACIÓN

• Pasar los tomates por agua hirviendo para pelarlos fácilmente.
• Cortarlos en cubitos y reservar.
• Pelar las papas y la cebolla y cortarlas en cuadraditos.
• Calentar el aceite en una cacerola y rehogar la cebolla.
• Agregar los tomates y las papas.
• Sofreír 5 minutos y luego agregar el agua.
• Tapar la cacerola (si es a presión, mejor) y cocinar hasta lograr una preparación consistente.
• Procesar la crema obtenida.
• Salpimentar a gusto y servir caliente.

Yogur cremoso a la manzana

INGREDIENTES

• Manzanas verde	4
• Yogures descremados	3
• Canela en polvo	2 cdas.
• Aspartamo en polvo	6 cdas.
• Limón	1

PREPARACIÓN

- Exprimir el limón, colar el jugo y reservar.
- Pelar tres manzanas y trocearlas.
- Colocar en una cacerola las manzanas cortadas, el jugo, el aspartamo y la canela.
- Hervir, dejar enfriar y mezclar con los yogures.
- Pelar y cortar la cuarta manzana en cubitos muy pequeños (alrededor de 1 centímetro) y agregar a la mezcla.
- Servir en copas (como si fuese una *mousse*) espolvoreada con canela.

ENFERMEDAD CELÍACA

cocina sana

¿QUÉ ES LA ENFERMEDAD CELÍACA?

Por lo general, la enfermedad celíaca se presenta a partir de los 6 meses de edad, pero pueden aparecer en cualquier etapa de la vida. Aunque se suele diagnosticar en la infancia, es descubierta cada vez más en adultos.
Es un trastorno intestinal que se caracteriza, básicamente, por la intolerancia al gluten, el conjunto de proteínas presentes en el trigo, la avena, la cebada y el centeno. Se puede resumir como una severa lesión en la mucosa del intestino delgado (atrofia vellositaria), que trae aparejada una mala absorción de nutrientes fundamentales para el organismo.
Gluten es el nombre de una de las proteínas de los cereales mencionados (trigo, avena, cebada y centeno). El mismo irrita la parte interna de los intestinos e impide la absorción de elementos nutritivos como grasas, proteínas, carbohidratos, vitaminas y algunos minerales.

En la industria de la alimentación se añade el gluten en forma de espesante o en la composición de diversos conservantes que también afectan al enfermo y que, por lo general, no se encuentra especificado en el etiquetado del producto.

El gluten de esos cereales se encuentra en el siguiente porcentaje:

- en el trigo, un 69%.
- en el centeno, de un 30 a 50%.
- en la cebada, de un 46 a 52%.
- en la avena, un 16%.

Quienes la padecen manifiestan un déficit de vitaminas A, B6, B12, C, D y E. También cuentan con niveles insuficientes de hierro y ácido fólico.
Es importante destacar que si el enfermo celíaco no consume productos con gluten, no se presentarán los síntomas de la enfermedad.

Los estudios realizados en Europa, EE.UU. y países latinoamericanos como la Argentina, indican que la enfermedad celíaca se presenta en 1 de cada 150 personas.

Causas

Además de la intolerancia al gluten, otras de las causas que producen la enfermedad celíaca –en menor medida– son: infecciones intestinales, estrés, dietas deficientes en proteínas, uso frecuente de laxantes o alergias a la leche. Si bien estas alteraciones son menos probables, pueden generar las condiciones necesarias para alterar la absorción del gluten.
Algunos también opinan que inducir desde muy temprano a los bebés a ingerir cereales puede provocar esta enfermedad.

Síntomas

La enfermedad celíaca se puede manifestar de diferentes maneras. Entre los síntomas más comunes podemos mencionar:
• pérdida de peso
• diarrea
• gases
• digestión lenta
• dolores abdominales
• fatiga
• depresión
• constipación
• desórdenes en la piel

Muchos de éstos síntomas se dan de manera poco llamativa y apenas imperceptible. Por tal razón, la enfermedad celíaca se puede descubrir tarde: su diagnóstico o descubrimiento puede darse muchos años después de manifestarse. A modo de ejemplo, describimos algunos síntomas que pueden aparecer en quienes padecen esta enfermedad de acuerdo con su edad:

Bebés:
Pueden tener defecaciones blandas frecuentes, carácter irritable, mostrarse apáticos o padecer estreñimiento.

Niños:
Padecen diarreas crónicas, alteraciones de crecimiento, (escaso desarrollo muscular, pérdida de peso, baja estatura, descalcificación), problemas de comportamiento y vómitos frecuentes.

Adolescentes:
Desgano, cansancio, falta de ánimo, escaso deseo de realizar actividad deportiva, dolores abdominales y, en las mujeres, retraso en el ciclo menstrual.

Adultos:
Los principales síntomas que se presentan son diarreas continuas, descalcificación, fracturas espontáneas, abortos espontáneos e impotencia.

EL TRATAMIENTO

La única posibilidad que existe para sobrellevar esta enfermedad es una alimentación basada en una dieta estricta y controlada por un profesional durante toda la vida. Ese régimen alimentario debe incluir productos libres de trigo, avena, cebada y centeno.

Más allá de estos cereales, hay que eliminar de la dieta otros productos que contienen muy poca presencia de gluten (que se usa en la conformación de aditivos, espesantes, colorantes, emulsionantes y otros preparados).

Cuando una persona que padece la enfermedad celíaca elimina completamente el gluten de su dieta, en pocos meses o semanas podrá mejorar en un gran porcentaje su estado de salud.

Esta es la razón fundamental por la cual los alimentos para celíacos deben estar perfectamente etiquetados y legislados, para poder apartar todo tipo de producto que contenga gluten.

ALIMENTOS ADECUADOS

Como dijimos anteriormente, la alimentación es la única manera de cuidar la salud del celíaco. Al ser una enfermedad relativamente "nueva", son muchas las deficiencias que encontramos en los mercados para que los afectados puedan llevar adelante una dieta segura.
Solamente en algunos países de Europa y en Estados Unidos se comercializan alimentos perfectamente etiquetados y son muy pocos los lugares en los cuales se expenden productos con información nutricional aptos para celíacos. En la Argentina, por ejemplo, existen en el mercado algunos productos con la leyenda "Sin T.A.C.C.", que significa "Sin trigo, avena, cebada y centeno".
Además de esta inscripción, se están lanzando al mercado alimentos con distintas leyendas como "Sin gluten", "Apto celíacos" o "Libre de gluten".

Sin embargo, todas estas medidas son insuficientes y recién comienzan a incorporarse a la oferta de alimentos. La única manera de mejorar las posibilidades de cuidado es a través de los reclamos y exigencias de los enfermos celíacos, de sus familiares, amigos y allegados. No queda otra opción que realizar presentaciones y pedidos ante los organismos legislativos y las oficinas de control alimentario para exigir en cada país una legislación que asegure la existencia de alimentos libres de gluten perfectamente especificados, con etiquetas legibles y cuadros de información nutricional de acuerdo con las necesidades de los pacientes.

Otras recomendaciones y precauciones para evitar y contrarrestar la enfermedad celíaca:

- Que los bebés extiendan su período de lactancia lo más posible.

- Verificar siempre la etiqueta de los productos y evitar los alimentos procesados.

- Excluir los cereales mencionados con anterioridad.

- Llevar a cabo una dieta alta en proteínas.

- Incorporar la fibra a través de frutas, verduras y frutos secos.

• Están permitidos la leche y sus derivados: yogur de sabor natural (enteros y descremados), ricota; todo tipo de queso incluyendo los de untar, pero sin agregados de hierbas ni productos extra.

• Al margen de los prohibidos (trigo, avena, cebada y centeno), pueden incluirse en la dieta del celíaco los siguientes: arroz, maíz, mijo y sorgo.

• Las harinas de arroz, maíz, papa y otras libres de gluten.

• Productos de panadería y pastas elaboradas con harinas libres de gluten.

• Se pueden ingerir huevos hervidos, a la plancha o pasados por agua.

• En la dieta del celíaco pueden añadirse sin problema carnes rojas y blancas.

• Los pescados y mariscos frescos también pueden consumirse.

• Al ingerir carnes o pescados, en formas de medallón rebozados, hay que verificar que el pan rallado usado sea elaborado con harinas libres de gluten.

• Las papas, batatas y legumbres aportan nutrientes necesarios para los celíacos.

• En los celíacos es muy importante la incorporación a la dieta de verduras y hortalizas. Se debería comer una ensalada al día con productos frescos. Si se emplean verduras congeladas, deben consultarse los envases para comprobar que los conservantes y aditivos sean aptos para celíacos.

• Las frutas pueden comerse crudas o asadas.

• Las mantecas y margarinas que se consuman deben ser 100% de origen vegetal.

• El aceite de oliva es el más adecuado.

• Las gaseosas y refrescos elaboradas a base de productos dulces deben ser controlados. Lo ideal es tomar agua o jugos exprimidos.

• En menor medida pueden agregarse, de manera esporádica, los siguientes preparados a la dieta: flanes, arroz con leche, papas fritas, frutas confitadas, crema, café, encurtidos, dulces y mermeladas.

• La alimentación del celíaco debe ser equilibrada y variada para mantener estables los aportes alimentarios. La dieta del enfermo debe ser elaborada y controlada por un médico especialista en nutrición, pues al no ingerir las proteínas que aporta el gluten, deben reemplazarse por otros alimentos.

• Los productos alternativos para reemplazar las harinas con gluten (las de arroz, maíz, papa, etcétera) son fundamentales en el régimen del celíaco para conservar una ingesta básica de hidratos de carbono.

• Si la información presente en el envase de un producto no es completa, o si quedan dudas sobre el contenido de gluten de un alimento, lo más aconsejable es recurrir al fabricante mediante una carta, un correo electrónico o una llamada al teléfono de atención al consumidor para asegurarnos que todos los componentes estén libres de gluten.

HÁBITOS SALUDABLES PARA EL CELÍACO Y SUS FAMILIARES

Si bien decimos que el gran cuidado que deben tener los celíacos es la ausencia de gluten en los alimentos que ingieran, también pueden cuidarse de otras formas: llevando adelante una dieta más controlada y natural, y poniendo en práctica rutinas saludables.

• Evitar las frituras y cocinar mediante hervor, vapor, plancha, parrilla u horno.

• Desgrasar las carnes, los caldos, las sopas, etcétera, en frío.

• Controlar la ingesta de manteca, aceites, crema, mayonesa y otras salsas.

• Condimentar con hierbas naturales como albahaca, estragón, laurel, tomillo, orégano, o perejil, entre otras.

• Dormir unas 8 horas diarias.

• Realizar terapia o concurrir a reuniones de grupos de ayuda de celíacos si nos cuesta entender o aceptar la enfermedad para superar el sentimiento de bronca, impotencia o preocupación que puede generar el descubrimiento de la enfermedad.

• Relacionarnos con organizaciones de ayuda o con grupos de enfermos para compartir información e ir creando entre todos un listado de alimentos o productos aptos para el celíaco.

• Practicar alguna actividad deportiva o física.

• Concurrir al médico periódicamente para realizar todos los estudios correspondientes.

• Si el enfermo celíaco es un niño (un hijo, un sobrino), es fundamental que pongamos en conocimiento de esto a todas las personas que lo rodean: familiares, amigos, compañeros de escuela o docentes para que estén informados sobre los productos que el niño no puede ingerir y colaboren con él en cumplir estrictamente su dieta. Además, es esencial ir educando al niño para que comprenda que deberá convivir siempre con esa enfermedad, pero que a pesar de ello podrá llevar adelante una vida normal. De a poco el menor tiene que aprender a cuidarse a sí mismo, a ingerir sólo los alimentos permitidos libres de gluten.

• Otro punto importante, no sólo con el niño sino con cualquier familiar celíaco, es no tratarlo con lástima. Si bien la familia deberá muchas veces pensar en él (en las salidas a comer, en los menúes de fiestas y cumpleaños, etcétera), sólo hay que pensar en cuidar su alimentación y nada más.

• Se debe tener mucha precaución con los alimentos importados, pues nos pueden llevar a la confusión. Un mismo fabricante puede emplear distintos ingredientes según la región, para un producto que se comercializa bajo la misma marca comercial en distintos países.

• Ante la sospecha de que un producto pueda contener gluten, no debe consumirse.

• Muchos medicamentos también pueden contener gluten entre sus componentes. Hay que leer cuidadosamente el prospecto y consultar al médico o al laboratorio en caso de dudas.

RECETAS PARA CELÍACOS

Al margen de todas las sugerencias, comentarios y consejos que hemos mencionado con anterioridad para el enfermo celíaco, a continuación describiremos varias recetas para añadir a la dieta. Por un lado proponemos distintas ideas para tener siempre a manos una mezcla de harinas apta para el celíaco y, por el otro, una serie de ideas nutritivas que respetan los ingredientes y alimentos autorizados. Por supuesto que antes de sumar cualquiera de estas preparaciones a la dieta debemos consultar con un médico y leer conscientemente las etiquetas de todos los productos.

Mezclas de harinas aptas para el enfermo celíaco

La harina, ese "veneno" para el celíaco cuando es de trigo, de avena, de cebada o de centeno, puede ser reemplazada por alguna de estas mezclas muy fáciles de hacer y de conservar.

Mezcla 1: de arroz y maíz

INGREDIENTES

- Harina de arroz 2 kg
- Fécula de maíz 1,250 kg

PREPARACIÓN

- Mezclar ambas harinas en un bol.
- Tamizarlas dos veces.
- Conservar la mezcla en un recipiente hermético y oscuro.

Mezcla 2: de arroz, tapioca y fécula de maíz

INGREDIENTES

• Harina de arroz	2 kg
• Fécula de maíz	1,250 kg
• Harina de tapioca	1 kg

PREPARACIÓN

- Mezclar las tres harinas en un recipiente.
- Tamizarlas dos veces.
- Conservar en recipientes herméticos.

Mezcla 3: de arroz, maíz y mandioca

INGREDIENTES

• Fécula de maíz	2 kg
• Harina de arroz	1 kg
• Fécula de mandioca	1,250 kg

PREPARACIÓN

- Mezclar las tres harinas en un recipiente.
- Tamizarlas varias veces.
- Almacenarlas en un recipiente hermético.

Alfajorcitos de maicena

INGREDIENTES

• Harina mezcla	120 gr
• Fécula de maíz	175 gr
• Azúcar	100 gr
• Manteca	75 gr
• Yemas	3
• Polvo leudante	2 cditas.
• Esencia de vainilla	1 cda.
• Sal	1/2 cdita.
• Bicarbonato de sodio	1/2 cdita.

PREPARACIÓN

- En un bol unir la manteca y el azúcar batiendo hasta obtener una preparación cremosa.

• Añadir las yemas y la esencia de vainilla. Mezclar y reservar.
• En otro bol mezclar y tamizar la harina, el polvo leudante, el bicarbonato y la sal.
• Unir ambas preparaciones hasta formar un bollo homogéneo.
• Cubrir con un paño y dejar reposar 45 minutos en la heladera.
• Estirar con palo de amasar hasta que la masa alcance un centímetro de altura.
• Con un cortapastas circular cortar discos.
• Hornear de 14 a 18 minutos en horno moderado.
• Unir los discos de masa, de a dos, con una capa de dulce de leche en el centro. Asegurarse de que el mismo sea apto para celíacos.

Bizcochuelo clásico

INGREDIENTES

• Fécula de maíz	250 gr
• Azúcar	250 gr
• Huevos	8
• Esencia de vainilla	2 cdas.

PREPARACIÓN

- Separar las yemas y los huevos.
- Batir las claras a nieve.
- Agregar el azúcar sin dejar de batir.
- Incorporar la esencia de vainilla y las yemas. De a una y sin interrumpir el batido.
- Disminuir la velocidad del batido y agregar con cuidado, apenas moviendo en forma circular, la fécula de maíz y el polvo para hornear.
- Enmantecar y enharinar (con harina apta para celíacos) un molde circular.
- Volcar la preparación y llevar de inmediato a horno precalentado moderado, de 25 a 30 minutos.

Masa básica para tartas

INGREDIENTES

• Fécula de maíz	250 gr
• Mandioca	250 gr
• Leche en polvo	120 gr
• Manteca	100 gr
• Polvo leudante	3 cditas.
• Huevo	1
• Sal	

- Agua 100 cm³
- Fécula de maíz (para el empaste) 1 cda.

PREPARACIÓN

Empaste:

- Hervir en una ollita el agua, la fécula de mandioca y batir hasta formar una especie de engrudo.

Masa:

- Unir la harina de mandioca y la fécula de maíz.
- Agregar la sal, el polvo leudante y la leche en polvo.
- Incorporar el huevo, la manteca y el empaste.
- Amasar hasta obtener una masa homogénea.
- Estirar con palo de amasar.

Pan de molde

INGREDIENTES

- Harina mezcla 500 gr
- Agua 300 cm³
- Manteca 100 gr
- Levadura 50 gr
- Huevos 2
- Azúcar 1 cda.

- Sal 1 cda.
- Leche en polvo 3 cdas.

PREPARACIÓN

- Hacer fermentar la levadura en 100 cm^3 de agua. Agregar el azúcar.
- Colocar en un recipiente el resto del agua, la manteca y la levadura.
- Procesar con una batidora de mano.
- Añadir la mezcla de harina, la leche en polvo, los huevos y la sal.
- Mezclar bien y volcar en un molde enmantecado.
- Hornear a temperatura moderada hasta que se dore.

Pan lacteado

INGREDIENTES

- Claras 5
- Maicena 6 cdas.
- Leche en polvo descremada 6 cdas.
- Sal 1/2 cdita.

PREPARACIÓN

• En un bol mezclar la maicena y la leche en polvo.
• Mezclar y agregar la sal.
• En otro bol batir las claras a punto de nieve.
• Con mucho cuidado verter las claras batidas sobre la mezcla de maicena y leche en polvo.
• Batir muy despacio para que ambas preparaciones se unan uniformemente.
• Enmantecar un molde para pan o para budín y volcar la preparación dentro del mismo.
• Hornear en horno moderado unos 15 a 20 minutos o hasta que la cubierta del pan se haya dorado.

Panqueques

INGREDIENTES

• Huevos	2
• Harina de maíz	500 gr
• Harina de arroz	250 gr
• Leche	500 cm^3
• Aceite	2 cdas.
• Sal	

PREPARACIÓN

• En un recipiente o bol batir los huevos, el aceite y la sal.
• Agregar las harinas de a poco y tamizadas.
• Ir añadiendo la leche de a poco para darle consistencia a la preparación.
• Mezclar con minipimer.
• Usar la crema obtenida para preparar los panqueques en una panquequera.

Pizza clásica

INGREDIENTES

• Harina mezcla	500 gr
• Manteca	120 gr
• Levadura	50 gr
• Agua	325 cm^3
• Azúcar	1 cda.
• Huevos	2
• Sal	

PREPARACIÓN

• Colocar a fermentar la levadura en 100 cm^3 de agua tibia. Añadir el azúcar.

• Unir en un recipiente el resto del agua, la manteca, la levadura y procesar con una batidora.
• Agregar la harina mezcla, los huevos y la sal. Volver a procesar la mezcla.
• Distribuir en pizzeras y hornear hasta que se dore.

Tallarines integrales

INGREDIENTES

• Harina de soja	4 cdas
• Harina de arroz	4 cdas.
• Harina de mandioca	4 cdas.
• Aceite	1 cdita.
• Leche	2 cdas.
• Huevo	1
• Sal	

PREPARACIÓN

• En un bol unir las 3 harinas y ahuecarlas en el centro.
• Allí colocar el huevo, la leche y la sal.
• Mezclar hasta que la masa sea homogénea y elástica.
• Estirar la masa con un palo de amasar sobre una mesa enharinada.

• Cortar tiritas bien finitas y largas.
• Hervir en agua salada durante 8 a 10 minutos como cualquier otro tipo de pasta.

Tarta soufflé de manzana

INGREDIENTES

• Manzanas	4
• Huevos	4
• Yogures naturales	4
• Azúcar	300 gr
• Maicena	5 cdas.

PREPARACIÓN

• Pelar y cortar las manzanas en daditos muy pequeños. Reservar dos cucharadas para la decoración.
• En un bol batir los huevos, los yogures, el azúcar, la maicena y las manzanas.
• Volcar la preparación en una tartera enmantecada.
• Espolvorear sobre la misma los trocitos de manzana reservados.
• Llevar a horno moderado, precalentado, durante 40 minutos.

GLOSARIO

- CAROZO: hueso, semilla
- HELADERA: nevera, refrigerador
- JUGO: zumo
- LOMO: solomillo
- MINIPIMER: batidora de mano
- MORRÓN: pimiento, ají
- PALTA: aguacate
- PROCESADORA: batidora
- TOMATE: jitomate
- ZUCHINI: calabacín, zapallito largo